Chrystine Brouillet

Un héros
pour

Hildegarde

d'après l'œuvre de Jean Paul Lemieux

MUSÉE DU QUÉBEC
Québec

Une nouvelle inspirée et illustrée par les tableaux de Jean Paul Lemieux

Après des contes inspirés par les univers d'Alfred Pellan et de Jean Dallaire, nous en sommes déjà à notre troisième publication destinée à un jeune public. Il s'agit d'ailleurs de la seconde contribution de Chrystine Brouillet, à qui je sais gré d'avoir répondu favorablement à mon invitation. Une fois de plus, elle aura misé sur un peintre auquel elle voue une admiration toute particulière : Jean Paul Lemieux (1904-1990), l'un des artistes préférés des Québécois et des Canadiens.

Jean Paul Lemieux, c'est un œuvre fascinant, un style et une manière en marge des grands courants de l'art du XXe siècle. Ce sont des tableaux dont le pouvoir d'attraction a été salué par un indéniable succès populaire. Mais au-delà du charme apparent de certains sujets, il y a le parcours émouvant du peintre de nos grands espaces, de notre sensibilité de gens du Nord et de notre âme collective partagée entre la nostalgie du passé et les inconnues de l'avenir.

En mai 2001, notre institution a inauguré une salle permanente consacrée à Lemieux, profitant de l'occasion pour publier un catalogue de l'ensemble des œuvres du peintre appartenant au Musée du Québec. Avec la présente publication, nous continuons de faire mieux connaître l'artiste, mais en privilégiant cette fois un jeune public. Ce livre réunit quelque 22 œuvres de Lemieux, dont plus de la moitié font partie de notre collection.

L'artiste est omniprésent dans les pages qui suivent, aussi bien par ses tableaux que par la magie de l'écriture de Chrystine Brouillet. Ceux et celles qui ont connu Jean Paul Lemieux auront en effet plaisir à le redécouvrir en filigrane du récit. Le héros de l'histoire nous rappelle les intérêts du peintre, son goût pour les beaux livres, les objets anciens et les œuvres d'art, son âme de voyageur et sa fascination pour l'Italie, son horreur de la violence et sa hantise de la guerre, et bien sûr son indéfectible attachement à la belle ville de Québec.

Dès la lecture du manuscrit, j'avoue m'être laissé prendre au jeu de l'écriture de Chrystine Brouillet, avoir pris un coup de jeunesse et avoir revu avec plaisir les œuvres de Lemieux sous un nouveau jour. À rebours, c'est un peu comme si l'artiste avait accepté d'illustrer la nouvelle écrite par l'auteure, en l'occurrence la fille d'un ami avec lequel il partageait une singulière passion pour les « antiquités québécoises ». Ceci pour dire que si *Un héros pour Hildegarde* nous ramène à l'époque de Lemieux au gré d'une aventure teintée de nostalgie, il échappe du même coup au temps, démontrant combien l'artiste est en quelque sorte toujours présent parmi nous.

Je tiens à exprimer ma gratitude à Anne-Sophie Lemieux pour avoir appuyé la réalisation de ce beau projet, contribuant une fois de plus au rayonnement de l'œuvre de son père. Et je lève bien sûr mon chapeau à Chrystine Brouillet pour avoir su enrichir notre collection jeunesse par un récit inventif dont les lecteurs de tous âges sauront apprécier l'originalité.

JOHN R. PORTER
Directeur général du Musée du Québec

Un héros pour Hildegarde

Hildegarde s'était longuement regardée dans le grand miroir de sa chambre dès son réveil ; avait-elle beaucoup changé durant la nuit ? Elle avait maintenant douze ans, on célébrerait ce soir son anniversaire chez ses grands-parents, comme elle l'avait souhaité. Toute la famille serait réunie à la campagne, mais Hildegarde avait surtout hâte de retrouver sa cousine Julie, qui connaissait tous les secrets de famille. Elle avait promis de lui raconter les aventures de jeunesse de leur grand-père, des aventures qu'on avait déjà narrées à Hildegarde, mais sans lui donner tous ces détails qui sont si palpitants.

Dès la fin du repas, après avoir déballé ses cadeaux, Hildegarde s'était éclipsée au fond du jardin avec sa grande cousine.

– Alors ! Raconte-moi ! Tu m'as juré que tu me dirais tout quand je serais assez vieille. J'ai douze ans maintenant…

Julie se fit un peu prier, puis se cala dans la chaise longue avant d'entreprendre son récit.

– Notre grand-père n'a pas toujours été aussi calme qu'il l'est aujourd'hui… Il était même très turbulent.

– Grand-papa ? C'est incroyable !

Incroyable, mais pourtant vrai… *Émile Durocher,* deuxième d'une famille de neuf enfants, était si dissipé à l'école que les professeurs s'étaient plaints à ses parents : « Votre fils est incapable de se concentrer. Il ne pense qu'à jouer dehors, courir, sauter, grimper aux arbres ! Il devrait renoncer à de longues études et apprendre plutôt un métier. »

– Il aime pourtant la lecture ! avait plaidé la mère d'Émile qui le voyait si souvent le nez plongé dans un bouquin.

– Qu'il soit libraire ! avait déclaré le directeur de l'école.

Le père d'Émile l'avait alors envoyé travailler chez un de
ses amis, à Québec, M. Dufour, qui n'était pas libraire, mais imprimeur.
C'est un beau métier que de faire des livres; Émile, même s'il n'aimait
pas l'odeur de l'encre et le bruit des machines, appréciait son premier
véritable emploi. Après deux ans, il aimait encore plus caresser
les rames de papier ou les ouvrages neufs fraîchement imprimés
et il prisait le contact avec les clients.

Surtout avec M. Bonneau. Ou plutôt, avec la fille de M. Bonneau,
la belle, la tendre, la gentille Aurélie. Elle avait de longues boucles
brunes qui se déroulaient comme une fourrure dans son dos, un front
haut et fier et des yeux d'une teinte aussi mystérieuse que celle
de la cime des montagnes. Quand Émile voyait Aurélie, il rougissait,
bégayait, se troublait et M. Bonneau le taquinait immanquablement.
Il faisait un clin d'œil à M. Dufour, lui disait que son apprenti était
amoureux de sa fille et quittait l'imprimerie en riant comme s'il avait
conté une bonne blague.

Il n'y avait pourtant rien de drôle.

Émile était fou d'Aurélie. Et Aurélie éprouvait la même passion
pour Émile. Ils se voyaient en cachette dans un vieux cimetière
désaffecté, derrière le Château Frontenac ou sur les plaines d'Abraham
et se juraient un amour éternel. Tandis que toute la population de
Québec défilait dans les rues pour suivre la procession de la Fête-Dieu,
Émile et Aurélie, dissimulés derrière les murs du Musée du Québec,
échangeaient leur premier baiser. Un premier baiser merveilleux,
au goût de cerise, d'été, de promesses et de liberté.

Un premier baiser qui fut suivi par beaucoup d'autres. Tout à
leur passion, les amoureux oublièrent leurs précautions et s'embrassèrent
sous la porte Saint-Jean. La voisine de M. Bonneau les surprit
et s'empressa de tout raconter aux parents d'Aurélie.

Ils crièrent au scandale : leur fille n'avait pas le droit de s'amouracher d'un vulgaire employé. Elle devait épouser un médecin ou un avocat ou même un politicien, un professeur, un fonctionnaire, mais pas un ouvrier !

– Mais elle l'aimait ! dit Hildegarde à Julie.

Julie soupira.

– Oui, Aurélie aimait Émile, mais M. Bonneau était très riche. Et le meilleur client de M. Dufour. Il lui donnait à imprimer des tas de manuels techniques pour les employés de ses usines et l'avait recommandé à un de ses amis qui était éditeur. M. Dufour, pour plaire à M. Bonneau, a dû renvoyer Émile chez lui, à la campagne. On ne l'a pas reçu à bras ouverts : *un conseil du village* a même décrété qu'Émile avait trahi la confiance de ses parents, de ses amis en déshonorant une jeune fille. Toutes les mères qui habitaient au village se méfiaient maintenant d'Émile et mettaient leurs filles en garde contre lui. Ses parents, très déçus, se rangèrent à l'avis général : leur fils devait s'exiler, se faire oublier.

– Et Aurélie ? Elle ne pouvait sûrement pas l'oublier !

– Aurélie a pleuré durant des semaines. Elle a tenté
d'écrire à Émile, mais qui aurait pu lui remettre ses missives ?
On la surveillait nuit et jour. Sa mère lui répétait qu'Émile
n'était qu'un minable sans-le-sou tandis que son père s'empressait
de lui trouver un prétendant. Puisqu'elle s'intéressait aux
garçons, on allait lui présenter un honnête homme. C'est ainsi
que M. Bonneau emmena un certain Oscar Dumouchel,
un banquier avec des dents jaunes et des cheveux ternes,
et ordonna à Aurélie de l'épouser. Elle a refusé, bien sûr !
Elle est même tombée malade.

– Elle est morte de chagrin ?

– Non. Mais quand elle fut guérie,
elle annonça son désir de prendre le voile,
soutenant que Dieu se montrerait un bien
meilleur père que le sien... *Les Ursulines,*
chez qui elle avait fait ses études, l'ont
accueillie avec bonté.

– Et Émile ?

– Émile a quitté Québec à l'automne.
Cette année-là, la neige est tombée dès la mi-octobre
et Émile, qui espérait un miracle, souhaita qu'une
tempête l'empêche de partir. Mais non... Son frère
aîné, Maurice, l'a accompagné jusqu'au port
d'où partaient des paquebots pour l'Europe.
Émile devait travailler sur un énorme navire
de marchandises qui accosterait au Havre.
Les deux frères se sont dit adieu en contemplant
le fleuve qui s'étirait à perte de vue devant eux.
Maurice s'efforçait de sourire même s'il s'inquiétait
pour son cadet, car les nouvelles qui parvenaient
de la France n'étaient pas très rassurantes.

– Pourquoi ?

– En 1938, Hitler avait énormément de pouvoir.
On craignait qu'un conflit mondial n'éclate. Quand
Émile est arrivé en France, il a vite compris que la
guerre serait en effet déclarée.

– Il aurait dû revenir !

– Ce n'était pas si simple. Un vent de panique
soufflait sur l'Europe et puis personne, à l'époque,
ne pensait que la guerre durerait aussi longtemps.
On croyait que tout serait réglé en quelques mois.
On se trompait lourdement ; la Deuxième Guerre
mondiale devait changer le visage de l'Europe...

– La guerre ? Grand-papa s'est battu à la guerre ? Il ne nous l'a jamais dit !

– Je crois qu'il n'a pas de très bons souvenirs de cette période. Il a été l'un des premiers à s'engager ; il rêvait naïvement de devenir un héros et de rentrer à Québec avec des dizaines de médailles pour faire regretter à M. Bonneau de l'avoir méprisé et chassé de la vie d'Aurélie, mais la réalité était bien différente de ce qu'il s'était imaginé. L'odeur du sang, de la boue, de la saleté, du pus des blessures, de la sueur, de la fumée, c'était ça la guerre. Des balles qui vous trouent la peau, qui emportent la tête de votre camarade, des balles que vous devez tirer sur l'ennemi, un jeune homme d'à peine seize ans... C'était ça, oui. Et la faim. Et le froid, les pieds glacés dans des bottes qui ne sèchent jamais, un manteau qui pèse une tonne quand il est mouillé, la pluie qui vous dégouline dans le cou, la terre gelée sur laquelle vous devez vous coucher. Et pire encore. La peur. La peur constante d'être démasqué.

– Démasqué ?

– Oui, grand-papa était entré dans la Résistance à l'appel du général de Gaulle en 1940. Il a participé au débarquement de Normandie.

– Le débarquement ?

– Vers la fin de la guerre, Émile a rejoint les troupes canadiennes qui voulaient libérer Dieppe. Il n'y a pas de mots pour décrire l'horreur des combats auxquels il a pris part, sinon que les soldats croyaient avoir été parachutés en enfer. Une cacophonie effroyable en permanence, des flambées, des explosions durant des heures, des hommes qui tombent par dizaines, des cris d'épouvante, des gémissements, des râles, voilà ce qu'endurait notre grand-père. Heureusement qu'il y avait l'Ange du silence.

— L'Ange du silence ?

— Il apparaissait à Emile durant la nuit. Il souriait à notre grand-père et tentait de l'apaiser, de l'encourager. Il lui promettait de le protéger jusqu'à la fin des hostilités. Il lui jurait qu'il reverrait son pays et toute sa famille. Et d'ailleurs, il ressemblait à Étienne, le plus jeune frère d'Émile. Il avait le même sourire malicieux.

— Et Aurélie ? Émile rêvait-il à Aurélie ?

Julie haussa les épaules.

— Je ne sais pas. Grand-maman n'a pas parlé d'Aurélie quand elle a rapporté les rêves de grand-papa à maman. Mais il n'a peut-être pas mentionné son premier amour par délicatesse...

Hildegarde hocha la tête ; ça ne l'étonnait pas que son grand-père ait fait preuve de diplomatie. Il était si gentil !

— L'Ange a embelli les nuits d'Émile pendant plusieurs mois. Il a disparu avec le cessez-le-feu, mais Émile se souvenait bien de ses promesses ; il était temps pour lui de rentrer au Québec, de revoir les siens. On lui avait sûrement pardonné ses erreurs de jeunesse.

— Il croyait que c'était une erreur d'avoir aimé Aurélie ?

— Oui. Non...

— Il aurait dû l'épouser en secret ; comme ça, ses parents auraient été obligés de s'incliner devant le fait accompli.

— Ce n'est pas si simple que ça. Tu verras quand tu seras amoureuse...

Julie préféra poursuivre son histoire, car elle n'avait pas toutes les réponses aux questions que sa cousine aurait pu lui poser à propos de l'amour. Elle-même s'interrogeait tellement à ce sujet !

– Après la guerre, grand-papa, qui avait été blessé, a été transporté dans un sanatorium. Dans le sud de la France. À Nice.

– À Nice ? Il y est retourné avec grand-maman, il y a cinq ans.

– Eh oui, il voulait revoir les amis qu'il avait connus durant son séjour dans cette ville. Il a toujours gardé une affection particulière pour Nice, car c'est là qu'il s'est senti en sécurité pour la première fois après des années de combat. Il aimait déambuler sur la promenade des Anglais, contempler la mer, sentir le vent agiter les branches des palmiers ou retourner les parasols des touristes...

– Mais il s'ennuyait de sa famille ?

24

Julie acquiesça d'un
signe de tête. Émile était
absent depuis plusieurs
années et, même s'il avait
reçu des lettres de tous
ses frères et sœurs et de
ses parents, il lui tardait
de les serrer dans ses bras,
d'entendre leur voix. Il avait
hâte de courir dans les
champs avec sa vieille
chienne Princesse, de respirer
l'odeur du foin coupé,
de flâner au bord de l'eau,
de pique-niquer ou de nager

jusqu'à la petite île pour
observer le héron bleu et
les colverts. La nostalgie
de son pays, de son village,
de sa maison était si forte
qu'il lui semblait parfois
humer l'arôme du café
qui embaumait la cuisine
familiale du lever au coucher
du soleil. Il se rappelait son
enfance alors que ses parents
lui semblaient si grands et que
l'habitait le sentiment d'être
protégé, à l'abri des ennuis.
Il espérait retrouver cette
sensation apaisante.

– Et Aurélie ?

Julie haussa les épaules, expliqua
à sa cousine qu'il s'était écoulé bien
des années depuis qu'Émile et Aurélie
avaient été séparés ; leur grand-père
n'avait pas oublié la jeune fille, car
on n'oublie jamais son premier amour,
mais il était maintenant un adulte
qui ne pouvait plus s'illusionner.
Il savait aussi, par les lettres que lui
écrivait sa sœur Noémie, qu'Aurélie
avait prononcé ses vœux perpétuels
et qu'elle semblait heureuse de son état.
De jeunes élèves à qui elle enseignait
au couvent vantaient sa patience
et son merveilleux sourire. Émile,
qui ne croyait plus tellement en Dieu
après tout ce qu'il avait vu à la guerre,
n'aurait peut-être pas pu s'entendre
aussi bien qu'avant avec Aurélie.
Il préférait conserver intact le souvenir
de sa dame de cœur, paisible
et lumineux au fond de son âme.

— Et puis, il gardait aussi en mémoire les paroles de la diseuse de bonne aventure qui avait lu son avenir dans les lignes de sa main. Qui lui avait parlé d'un nouvel amour.

— Grand-papa a cru ce qu'elle lui disait ?

— Il a rencontré cette vieille Tzigane juste avant un bombardement ; elle a prédit la mort de ses deux amis et l'a averti qu'il serait blessé, mais qu'il survivrait. Elle a aussi parlé d'un voyage à l'étranger. Et d'une rencontre avec une belle dame blonde... Grand-papa avait besoin de rêver, de s'évader en pensée pour échapper à l'horreur du moment. Et la chiromancienne était très convaincante...

— Il est donc revenu au pays ? C'était ça le voyage à l'étranger...

— Oui, mais Émile n'a pu rentrer aussi vite qu'il l'aurait souhaité ; tout était désorganisé à la fin de la guerre. On voit souvent des films où les gens fêtent à l'annonce de la victoire des Alliés sur les Allemands et il est vrai que la population respirait enfin, mais l'Europe était en ruine. Bien des villes avaient été détruites et s'alimenter posait toujours un problème.

— Justement, s'il avait faim, grand-papa n'avait qu'à regagner Québec.

— Il ne voulait pas repartir chez lui les mains vides, sans un sou en poche. On l'aurait pourtant accueilli avec plaisir ; tout ce qui comptait pour ses parents, c'était qu'il soit toujours vivant, qu'il ait échappé au massacre. Mais Émile avait sa fierté. Il était parvenu à trouver un emploi chez un brocanteur et il y resta deux ou trois ans, le temps de comprendre les règles du marché, ce que désiraient les collectionneurs et comment il pouvait les satisfaire. Il aimait encore le contact avec les clients et songeait à ouvrir une boutique à Québec à son retour. Il allait rapporter des objets européens, des curiosités qui intéresseraient sûrement les bourgeois de la capitale. Il lisait beaucoup d'ouvrages sur le mobilier, la peinture, la sculpture, l'argenterie, la poterie et même les éventails, car il avait remarqué que ceux-ci plaisaient beaucoup aux femmes. Tout comme les bijoux, évidemment.

Au lendemain de la guerre, plusieurs personnes devaient se séparer de leurs biens pour acheter des vêtements ou de la nourriture ; le patron d'Émile dénichait ainsi des objets rares, des tableaux superbes. Il se frottait les mains en riant quand il réussissait à obtenir une toile à bon prix. Émile n'aimait pas tellement ses méthodes ; il était gêné de profiter de la misère des gens pour s'enrichir. Quand il eut assez économisé, il décida de faire lui-même le tour des propriétés où l'on était susceptible de lui vendre des pièces intéressantes et de les payer un prix honnête. Sa réputation d'intégrité grandit rapidement et, de tous les coins de la région, on proposait au Canadien des objets de valeur. Quand Émile se décida enfin à quitter la France, il emportait avec lui une certaine somme d'argent et plusieurs pièces de collection qu'il voulait mettre dans la vitrine de son magasin pour attirer ses premiers clients québécois.

Il s'embarqua sur un navire en janvier 1950, mais cette fois-ci il ne travaillait pas à décharger des marchandises comme il l'avait fait quand il était monté à bord plusieurs années plus tôt. Il lisait dans sa cabine, se promenait sur le pont quand la mer n'était pas trop houleuse, discutait avec les autres passagers. Certains, comme lui, retournaient au Canada après un long séjour à l'étranger ; ils espéraient tous qu'il y aurait beaucoup de neige quand le navire accosterait, car les vastitudes immaculées leur avaient manqué.

– J'ai aimé la Côte d'Azur, disait Émile, mais je me suis lassé des bougainvilliers et des hibiscus. Et je préfère un hiver tout blanc au petit crachin qui nous fait frissonner à Nice en janvier.

Il souhaitait une vraie tempête de neige avec le vent qui sculpte des arabesques sur les congères. Il mangerait même les premiers flocons qui tomberaient du ciel ; ils auraient le goût de son pays retrouvé. Des vers du grand poète Nelligan lui revenaient souvent en mémoire :

> Ah ! comme la neige a neigé !
> Ma vitre est un jardin de givre.
> Ah ! comme la neige a neigé !

Il se rappelait son enfance quand il restait à la maison à dessiner des motifs aux carreaux des fenêtres gelées. Même s'il était un homme maintenant, il prendrait encore plaisir à coller son nez dans la vitre et à regarder la neige recouvrir les champs à perte de vue.

— Et la femme blonde ? demanda Hildegarde.

— Attends un peu ! Tu es trop impatiente !

— Il l'a rencontrée sur le bateau ?

Julie secoua la tête avec un sourire mystérieux. Non, Émile n'avait pas connu la belle femme blonde durant la traversée, mais peu de temps après son arrivée à Montréal, où il avait visité quelques boutiques d'antiquités pour se familiariser avec les prix pratiqués au Canada. Il n'avait pas voulu s'attarder dans la métropole : il avait trop hâte de revoir sa famille et ses amis. Il réserva une place dans le train, un rapide qui ne faisait qu'un arrêt avant d'arriver à Québec. Dès que le train se mit en marche, il commença à neiger ; Émile sentit les larmes lui monter aux yeux tellement il était heureux de voir toute cette poussière blanche tapisser le paysage. Aucun passager n'aurait pu être plus content que lui ! Il gardait le visage rivé sur les villages qui défilaient à la fenêtre et s'étonnait de certains changements quand il lui sembla que le train ralentissait curieusement sa course.

– Que se passe-t-il ? s'inquiéta un des passagers assis près d'Émile.

– Il n'y a pas d'arrêt ici habituellement, déclara une dame qui portait un chapeau minuscule par-dessus son chignon.

– C'est vrai, je prends le train toutes les semaines et nous ne nous arrêtons jamais au Cap-de-la-Madeleine, confirma un vieil homme.

Le train s'immobilisa sans que personne sache pourquoi. Le chef de train, que tous les passagers interrogeaient à ce sujet, se contentait de hausser les épaules.

— On nous a dit qu'il fallait s'arrêter. On s'est arrêtés.

— Mais nous arriverons en retard à Québec ! protesta un homme avec une énorme moustache.

Il semblait très nerveux ; peut-être que sa fiancée devait l'attendre à la gare ?

— Eh oui, admit le contrôleur du train. Tout ce que je sais, c'est que ce n'est pas à cause d'un ennui technique, vous pouvez être rassurés de ce côté-là. Il n'y a rien à craindre.

Le moustachu faillit regimber, puis se ravisa. Il prit la mallette qu'il avait laissée dans le casier au-dessus de son siège, en sortit un livre qu'il échappa sur la tête de la dame au chignon. Celle-ci poussa un petit cri qui attira l'attention d'Émile.

— C'était la dame blonde ?

— Mais non ! Elle avait les cheveux noirs très épais. Son petit chapeau avait roulé par terre. Émile, en galant homme, voulut le ramasser, mais le type à la moustache se précipita avant lui et repoussa Émile d'un geste brusque avant de remettre le chapeau à la passagère. Celle-ci remercia l'homme avant de replacer sa coiffure. Elle fixa cette fois-ci le chapeau avec une longue épingle.

— Oublie ces détails ! Je veux savoir pourquoi le train était arrêté et quand arrive enfin la dame...

Julie sourit avant de poursuivre son récit : le train s'était immobilisé pour permettre à un mystérieux passager de monter à bord.

— Pourquoi ne s'était-il pas présenté à la gare Windsor à Montréal ?

— Oui, pourquoi ? Comme toi, chaque personne avait son hypothèse sur cet arrêt imprévu. Il tardait à Émile d'en savoir davantage. Il n'aurait jamais pu imaginer qu'il serait directement concerné par cette affaire !

– Mais comment ? questionna Hildegarde. C'est la dame blonde qui est montée dans le train ? Elle devait être très importante pour qu'on fasse un arrêt spécialement pour elle !

– Je n'ai pas encore parlé de la dame blonde, fit Julie. J'espère que tu apprendras à être moins pressée en grandissant, sinon tes prétendants vont trouver que tu les bouscules !

Hildegarde tira la langue ; elle savait bien que les taquineries de sa cousine n'avaient rien de très méchant.

– En tout cas, ce n'est pas grand-maman, car elle n'a jamais habité au Cap-de-la-Madeleine.

– Ce n'est même pas une femme qui est montée dans le train, Hildegarde. C'est un policier.

– Un policier ?

– Il avait reçu un appel téléphonique de Montréal lui apprenant qu'un voleur s'était glissé dans le train. Il devait l'intercepter avant d'arriver à Québec.

– Pourquoi ? Il n'avait qu'à l'attendre à la gare et à l'attraper à ce moment.

– Non, le policier préférait agir dans le train. C'est un lieu clos. Le voleur, en voyant entrer un inconnu, allait se méfier ; mais que pouvait-il bien faire ? Il ne voulait pas qu'on trouve sur lui le magnifique pendentif orné d'un solitaire qu'il avait volé chez un bijoutier. Il devait donc le cacher dans le train... Mais où ?

– Dans la salle de bain ?

– Non.

– Dans un des casiers ?

– Trop facile. C'est le premier endroit où a cherché le policier.

– Le voleur ne pouvait tout de même pas garder le bijou sur lui, car j'imagine que les gens ont tous été fouillés.

– Oui, on a vérifié les sacs à main des femmes, obligé les hommes à vider les poches de leur veston et de leur pantalon. Tout le monde protestait, mais chacun finissait par s'exécuter. Le moustachu a déclaré qu'il allait se plaindre au directeur de la compagnie; cependant, il a dû obéir comme les autres.

– Grand-papa aussi...

– Eh oui.

– Mais où le policier a-t-il découvert le pendentif ?

– Il ne l'a pas découvert... Il a pourtant fait un examen méticuleux. Mais sans succès. Il était découragé et furieux : on avait dû lui donner une mauvaise information en l'appelant de Montréal.

– Le voleur n'était pas dans le train ?

– Si. Le train s'est pourtant remis en marche, au grand soulagement des passagers qui parlaient tous entre eux après cet arrêt forcé. Émile nota même que l'homme à la moustache s'intéressait beaucoup à la dame au chignon. Et même un peu trop. Celle-ci finit par prier le moustachu de ne pas l'importuner. Quand elle s'est levée pour aller chercher un café, l'homme l'a néanmoins suivie. Et Émile a suivi l'homme. Celui-ci a trébuché dans le couloir et fait tomber la femme. Émile s'est précipité pour les aider à se relever, mais l'homme a attrapé la femme par le chignon. Et Émile a tout compris. Il a saisi le bras

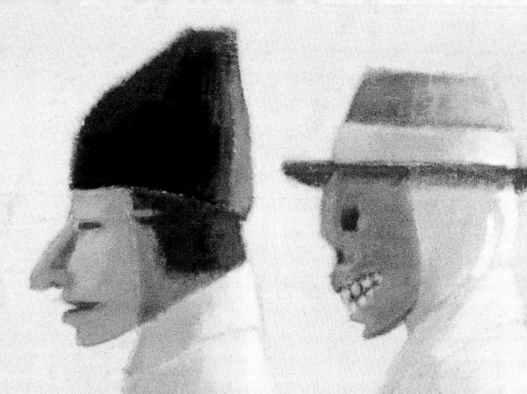

du moustachu et crié pour avoir de l'aide. Heureusement, le policier n'était pas très loin. Il a accouru vers les combattants. Émile a alors expliqué au policier que le voleur avait caché son précieux butin dans la coiffure de la dame ou dans son chapeau.

– Le policier devait être content !

– Et la dame aussi. Elle s'est remise de sa frayeur et a remercié Émile. Ils ont discuté ensemble jusqu'à leur arrivée à Québec ; Émile a appris qu'Adèle Morin, la femme au chignon, et son mari étaient des collectionneurs. Il a parlé des objets qu'il rapportait de France. Adèle a tenu à inviter Émile à souper chez elle la semaine suivante, car il y avait une réception pour le Mardi gras.

– Le Mardi gras ?

– Oui, à l'époque on célébrait le dernier jour avant le carême. On allait se priver de friandises, de certains mets, de petites douceurs jusqu'à Pâques, alors on fêtait la veille du carême en mangeant toutes ces choses qui seraient interdites. Et en se déguisant.

– Comme à l'Halloween ?

– Oui. Les gens portaient des masques, de grandes capes ou des costumes plus élaborés.

– Et Émile s'est travesti ?

– Ce n'était pas tellement son genre... Mais il avait envie de mieux connaître Adèle et son mari. Il pressentait qu'ils pourraient devenir de bons clients. Ou même de bons amis; ils partageaient un même goût pour les œuvres d'art. Adèle avait mentionné qu'il y avait des toiles de plusieurs peintres importants chez elle. Émile désirait les voir.

– Alors il a accepté l'invitation ?

– Oui. Il est d'abord allé chez lui, à la campagne, où il a revu sa famille qui l'attendait avec impatience. On voulait qu'il raconte tout ce qu'il avait vécu en Europe, mais Émile a refusé de parler de la guerre. Il a préféré évoquer les quelques mois passés à Nice et son voyage dans le nord de l'Italie. Il décrivait Vérone, Parme, Turin, Pise et Venise, le climat, la végétation, les maisons, les gens. Il connaissait même quelques mots en italien et sa petite sœur Alice a voulu les apprendre pour les répéter à ses amies à l'école. « Buongiorno, signorina, arrivederci, per favore. » Émile a ainsi passé de longues heures à bavarder, à se promener en raquettes dans les champs, à visiter des voisins et à apprendre à patiner au fils de son frère Jean qui était né en son absence. Ils partaient ensemble vers la rivière gelée, chaussaient leurs patins et, même si Émile ne s'était pas élancé sur la glace depuis des années, il retrouvait très vite tous ses réflexes sportifs.

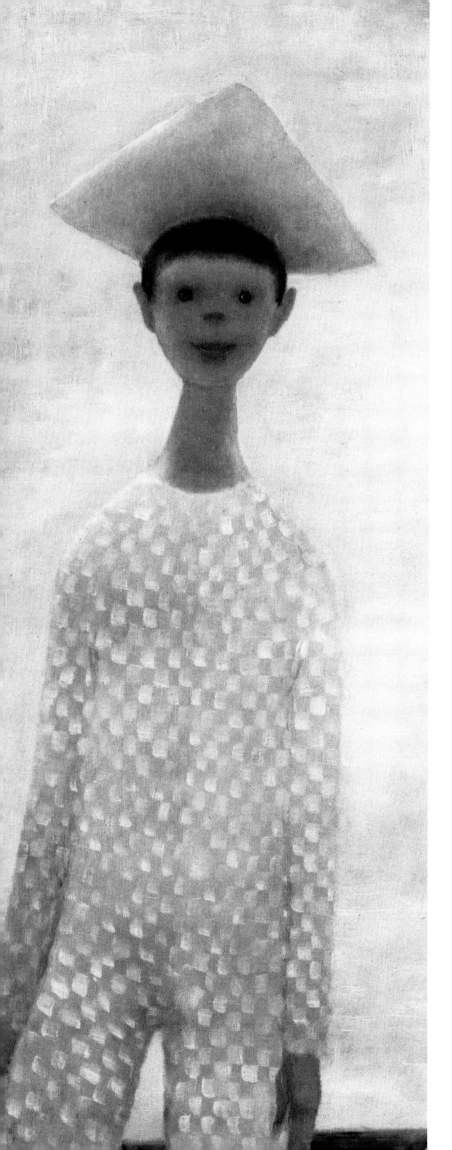

– Et la fête du Mardi gras ? demanda Hildegarde.

– Émile s'est présenté chez Adèle à l'heure convenue. En s'approchant de la maison, il sentait son cœur qui battait très fort, comme s'il devinait qu'il allait faire une rencontre mémorable.

– La femme blonde ?

Julie acquiesça.

– Enfin ! s'écria Hildegarde. C'est elle qui a ouvert la porte quand il a sonné chez Adèle ?

– Non. C'est son jeune frère Antoine.

– Antoine ?

– Comme notre grand-oncle. Celui qui est parti vivre aux États-Unis. Il était chez Adèle ce soir du Mardi gras. Il s'était même déguisé pour faire plaisir à sa grande sœur, mais, comme il n'y avait pas beaucoup d'enfants à la fête, il s'ennuyait un peu. Il avait hâte qu'Émile arrive, car il avait entendu parler des événements qui s'étaient déroulés dans le train. Antoine voyait un héros en Émile !

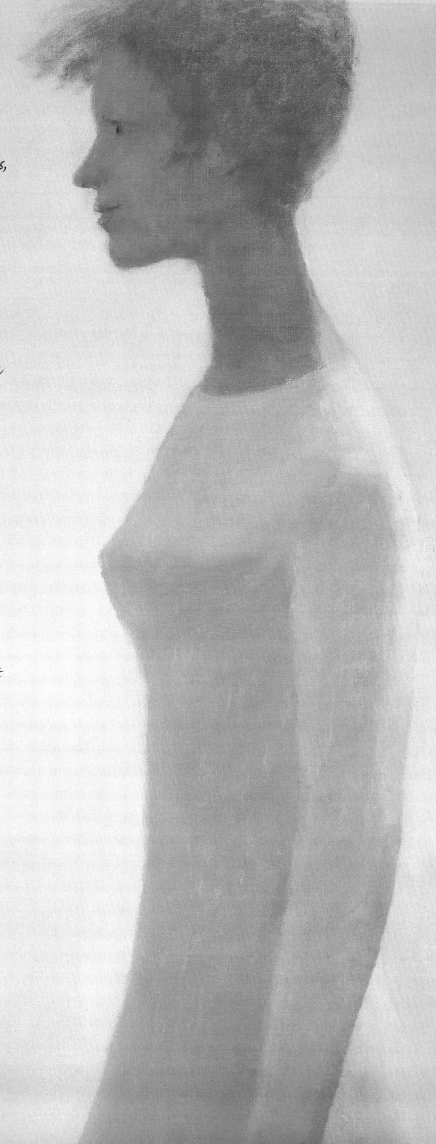

Il n'était pas le seul à le considérer ainsi ; Adèle avait fait le récit de ses aventures, répété à plusieurs reprises que le voleur l'aurait peut-être étranglée si Émile n'était pas intervenu. Tout le monde admirait Émile. Ce qui l'embarrassait un peu ; il n'était pas habitué à être l'objet de tant d'attentions et il ne pouvait s'empêcher de songer que son retour à Québec était bien différent de son départ. À cette époque, personne ne voulait plus lui parler...

Il était perdu dans ses pensées quand une voix au timbre feutré l'arracha à sa réflexion.

— Comment avez-vous fait pour deviner où le bijou était caché ?

Émile se retourna pour répondre à la femme qui l'interrogeait, mais il en fut incapable, pétrifié devant la beauté de son interlocutrice.

— La femme blonde !

Eh oui, c'était elle.
Elle était aussi jolie que l'avait
prédit la diseuse de bonne
aventure, quelques années
auparavant. Émile l'admirait
sans être capable de cacher
son trouble. Il aimait ses yeux
rieurs, vert pâle pailletés d'ambre,
les fossettes qui creusaient
ses joues roses, son teint clair
et sa manière de se tenir
très droite.

– Je m'appelle...

– Hélène, s'écria Hildegarde.
C'était grand-maman !

– Elle avait alors vingt
ans. Elle venait tout juste de
commencer ses études d'infirmière
et s'imaginait soigner des
malades à l'Hôtel-Dieu, mais
notre grand-père a ouvert
sa première boutique
de brocante et elle a décidé
de travailler avec lui.

— Ils se sont mariés très rapidement; je me souviens que maman a toujours dit qu'ils avaient eu un merveilleux coup de foudre.

— Un coup de foudre qui dure depuis cinquante ans. Ils auraient pu inspirer *Jean Paul Lemieux,* un très grand peintre. Ne trouves-tu pas qu'ils ressemblent aux personnages du si beau tableau *Les Noces d'or ?*

Hildegarde regardait ses grands-parents, assis côte à côte au bout de la grande table, et souriait en approuvant les propos de sa cousine. Elle espérait connaître un jour la même passion amoureuse...

Œuvres de Jean Paul Lemieux illustrant *Un héros pour Hildegarde*

Janvier à Québec, 1965
Huile sur toile, 107 x 152 cm
Coll. Musée des beaux arts de l'Ontario

La Fête-Dieu à Québec, 1944
Huile sur toile, 152,7 x 122 cm
Coll. Musée du Québec
45.41

Hiver nucléaire, 1986
Lavis à l'huile et térébenthine sur carton
97,7 x 116,6 cm
Collection particulière

Jeune Fille ou **Hildegarde**, 1963
Huile sur toile, 27,5 x 19,5 cm
Coll. Musée du Québec
Legs Marcel Carbotte
89.156

L'Assemblée ou **Le Conseil du village**, 1936
Huile sur toile, 86,5 x 111,5 cm
Coll. Musée du Québec
Don de la Collection Jean Paul Lemieux
2000.243

La Nativité, 1966
Huile sur toile, 73 x 104 cm
Collection particulière

Une maison à la campagne, vers 1973
Huile sur toile, 71, 5 x 127 cm
Coll. Musée du Québec
Don de monsieur et madame Jean-Marie et Hélène Roy
95.51

Les Ursulines, 1951
Huile sur toile, 61 x 76 cm
Coll. Musée du Québec
52.20

La Promenade des Anglais à Nice, 1954-1955
Huile sur panneau de fibre de bois, 38 x 45 cm
Coll. Musée du Québec
Don de monsieur Daniel Fournier
et de madame Caroline Drouin
98.24

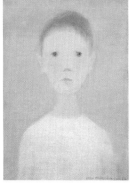

Jeune Garçon, 1963
Huile sur toile, 26 x 18,5 cm
Coll. Musée du Québec
Legs Marcel Carbotte
89.155

L'Adieu, vers 1968
Huile sur toile, 36,5 x 110,3 cm
Coll. Musée du Québec
Don du ministère des Affaires gouvernementales
canadiennes
78.475

1910 Remembered, 1962
Huile sur toile, 108 x 148,8 cm
Collection particulière

Le Visiteur du soir, 1956
Huile sur toile, 80,4 x 110 cm
Musée des beaux-arts du Canada, Ottawa
6504

Jeune Fille dans le vent, 1964
Huile sur toile, 87,3 x 62,5 cm
Coll. Musée du Québec
Legs Marcel Carbotte
89.153

La Dame de cœur, 1979
Huile sur toile, 112,2 x 43,5 cm
Coll. Musée du Québec
Don de l'artiste
79.155

Les Masques, 1973
Huile sur toile, 84 x 129 cm
Collection particulière

Autoportrait, 1974
Huile sur toile, 167 x 79 cm
Coll. Musée du Québec
Achat grâce à la contribution
de la Fondation
du Musée du Québec
2001.01

Hommage à Nelligan, 1971
Huile sur toile, 84,6 x 133,2 cm
Université de Montréal

Pise, 1965
Huile sur toile, 109 x 73 cm
Coll. Musée du Québec
Legs Marcel Carbotte
89.154

Les Noces d'or, 1966
Huile sur toile, 130 x 172 cm
Coll. Musée du Québec
67.12

Le Rapide, 1968
Huile sur toile, 101 x 204 cm
Coll. Musée du Québec
Don de la succession Gabrielle Bertrand
99.323

Le Petit Arlequin, 1959
Collotype sur papier, 35,6 x 18,1 cm
Collection particulière, Montréal

Musée du Québec
Parc des Champs-de-Bataille
Québec (Québec, Canada) G1R 5H3
Téléphone : 418 643-2150
www.mdq.org

Directeur général : John R. Porter
Directeur des collections et de la recherche : Yves Lacasse
Directrice des expositions et de l'éducation : Line Ouellet
Directeur de l'administration et des communications : Marc Delaunay

Production
Service de l'édition, Direction de l'administration et des communications
Éditeur délégué : Pierre Murgia
Photos : Musée du Québec, par Patrick Altman, Jean-Guy Kérouac et Luc Chartier,
sauf *Janvier à Québec* (Carlo Catenazzi), *Le Visiteur du soir* (Musée des beaux-arts du Canada)
et *Le Petit Arlequin* (Michel Filion)
Conception graphique et infographie : Autrement Communications
Impression : Litho Acme Renaissance

ISBN 2-551-21375-4
Dépôt légal – Bibliothèque nationale du Québec, 2001
Bibliothèque nationale du Canada, 2001
© Musée du Québec, 2001

Imprimé au Québec, Canada

Le Musée du Québec est une société d'État subventionnée
par le ministère de la Culture et des Communications du Québec.